Potworna planeta

Monster Planet

David Orme

Przekład
Translated by
Kryspin Kochanowski

Other Badger Polish-English Books

Rex Jones:
Pościg Śmierci	Chase of Death	*Jonny Zucker*
Futbolowy szał	Football Frenzy	*Jonny Zucker*

Full Flight:
Wielki Brat w szkole	Big Brother @School	*Jillian Powell*
Potworna planeta	Monster Planet	*David Orme*
Tajemnica w Meksyku	Mystery in Mexico	*Jane West*
Dziewczyna na skałce	Rock Chick	*Jillian Powell*

First Flight:
Wyspa Rekiniej Płetwy	Shark's Fin Island	*Jane West*
Podniebni cykliści	Sky Bikers	*Tony Norman*

Badger Publishing Limited
Oldmedow Road, Hardwick Industrial Estate,
King's Lynn PE30 4JJ
Telephone: 01438 791037

www.badgerlearning.co.uk

2 4 6 8 10 9 7 5 3 1

Potworna planeta *Polish-English* ISBN 978 1 84691 425 6

Text © David Orme 2003. First edition © 2008
This second edition © 2015
Complete work © Badger Publishing Limited 2008.

All rights reserved. No part of this publication may be reproduced, stored in any form or by any means mechanical, electronic, recording or otherwise without the prior permission of the publisher.

The right of David Orme to be identified as author of this Work has been asserted by him in accordance with the Copyright, Designs and Patents Act 1988.

Publisher: David Jamieson
Editor: Paul Martin
Design: Fiona Grant
Illustration: Paul Savage
Translation: Kryspin Kochanowski

Potworna planeta
Monster Planet

Spis treści	**Contents**
1 Wysoka cena	The terrible price
2 Kri 10	Kri 10
3 Potajemna wizyta	A secret visit
4 Do labiryntu	Into the maze
5 Uciekajmy!	Escape!
6 Powrót do domu	The journey home

1 Wysoka cena

- Już czas. Musimy wybrać tych, którzy zginą.

Przywódcy planety Atten siedzieli w ciszy. Byli rozgniewani, lecz cóż mogli zrobić? Przed dwudziestu laty zostali pokonani w okropnej wojnie kosmicznej.

Ich wróg, Minus, zły przywódca kosmicznego imperium, kazał im płacić okropną cenę. Co trzy lata wysyłano siedmiu młodych mężczyzn i siedem młodych kobiet na planetę Kri 10, jego siedzibę. Ich los był przesądzony!

Głęboko pod pałacem Minusa znajdował się labirynt. Nikt, kto został do niego wrzucony, nie wychodził żywy. W labiryncie zaś żył... potwór!

Wiele lat wcześniej stworzył go zły naukowiec i nazwał Asteron. Pół-człowiek, pół-obcy żywił się krwią tych, którzy zgubili się w labiryncie. Imię Asterona budziło postrach w całym wszechświecie!

1 The terrible price

"It is time. We must choose the ones that are to die."

The leaders of planet Atten sat silently. Everyone was angry, but what could they do? Twenty years ago, they had been beaten in a terrible space war.

Their enemy, Minus, evil ruler of the space empire, made them pay a terrible price. Every three years, seven young men and seven young women were sent to Minus' home planet of Kri 10. Their fate was terrible!

Deep below Minus' palace, there was a maze. Anyone thrown into the maze would never come out again. And in the maze lived... a monster!

Many years before, an evil scientist had made this monster, and he named it Asteron. Half human, half alien, it lived on the blood of those who were lost in the maze. The name of Asteron was feared throughout the universe!

Argus, przywódca Atten, przemówił ponownie.

- Musimy zrobić, jak się nam każe. Jeśli odmówimy posłuszeństwa Minusowi, wyśle statki wojenne i zniszczy naszą planetę. To cena, jaką musimy płacić za pokój!

Silny, młody mężczyzna powstał ze swego miejsca. Był to syn Argusa, Esus.

- Jak długo jeszcze będziemy robić to, co każe nam Minus? Uważam, że powinniśmy mu się przeciwstawić! Wolę raczej mężnie zginąć w walce, niż żyć w ten sposób!

Niektórzy z młodszych przywódców przyjęli słowa Esusa z aprobatą. Ale Argus podniósł rękę.

- Mój synu, możesz myśleć o walce, ale ja mam całą planetę, o którą muszę się troszczyć! Musimy to zrobić! Siądź i nie odzywaj się, dopóki nie będziesz starszy i mądrzejszy!

Esus jednak nie usiadł.

- Nie będę zasiadał z tchórzami. Jeśli zamierzacie wysłać tych nieszczęsnych ludzi na śmierć, będę jednym z nich. Zabiję potwora albo zginę!

Argus był zszokowany tym, co usłyszał z ust Esusa. Od wielu dni starał się wpłynąć na syna, by ten zmienił zdanie – bezskutecznie. Należało w jakiś sposób zniszczyć Minusa i jego imperium. Argus i inni byli jednakże słabi i przerażeni. Jeśli oni by tego nie zrobili, zrobiłby to Esus!

Argus, ruler of Atten, spoke again.

"We must do as we are told. If we defy Minus, he will send battle cruisers to destroy our planet. It is the price we must pay for peace!"

A strong young man stood up. It was Argus' own son, Esus.

"How much longer must we do as Minus tells us? I say we must defy him! I would rather die bravely in battle than go on like this!"

Some of the younger leaders cheered Esus. But Argus raised his hand.

"My son, you may wish to fight, but I have the whole planet to think about! We must do it! Sit down, and don't speak again until you are older and wiser!"

But Esus would not sit down.

"I will not sit with cowards. If you are going to send these poor people to their death, then I will be one of them. I will kill this monster - or die!"

Argus was shocked at what Esus had said. For days, he tried to change his mind. But he wouldn't. Somehow, Minus and his evil empire had to be destroyed. Argus and the others were weak and scared. If they wouldn't do it, then Esus would!

2 Kri 10

Ostatecznie Argus przestał powstrzymywać Esusa. Widział, że jego syn nie zmieni zdania. W młodości on również był odważny. Walczył z Minusem w międzyplanetarnej wojnie i przegrał. Teraz był starszy i mądrzejszy. Minus nie mógł zostać pokonany. Ciche życie było najlepszym rozwiązaniem.

Argus pojawił się w porcie kosmicznym, by powiedzieć dowidzenia Esusowi i innym młodym ludziom.

- Proszę, zrób dla mnie jedną rzecz – powiedział do swego syna. – Jeśli przeżyjesz, wyślij do mnie wiadomość w drodze powrotnej.

2 Kri 10

At last, Argus gave up trying to stop Esus. He could see that his son would not change his mind. When Argus had been young, he had been brave too. He had fought Minus in a terrible space war, and had lost. Now he was older and wiser. Minus could never be beaten. A quiet life was best!

Argus came to the spaceport to say goodbye to Esus and the other young people.

"Please do one thing for me," he said to his son. "If you are still alive, send a message to me on your way back."

Odwrócił się ze smutkiem. – Jeśli nie dostanę wiadomości, będę wiedział, że zginąłeś.

Argus patrzył jak statek kosmiczny startuje. Wkrótce podróżował szybciej niż światło w kierunku odległej planety.

Tydzień później dotarł do orbity Kri 10. Wszędzie wokół roztaczał się przygnębiający widok floty Minusa.

Statek podszedł do lądowania. Esus i pozostali wysiedli. Uzbrojeni żołnierze eskortowali ich do budynku, w którym oczekiwał ich Minus. Jego chuda, okrutna twarz spoglądała na nowe ofiary. Trzynaścioro z nich było pobladłych i trzęsło się. Jeden jednak nie okazywał strachu – był to Esus. Wystąpił z szeregu.

- Jestem Esus, syn Argusa! – powiedział donośnym głosem. – Nie obawiam się ciebie! Chcę żebyś wiedział, że twój czas dobiegł końca. Twoje imperium zostanie zniszczone!

He turned away sadly. "If I hear nothing, I will know that you have been killed."

Argus watched the spaceship blasting off. Soon it was travelling faster than light towards the far away planet.

A week later, the spaceship was in orbit over Kri 10. All around it were the grim warships of Minus' battle fleet.

The ship came in to land. Esus and the others got out. Armed soldiers marched them to a building - where Minus was waiting for them! His thin, cruel face looked at the new victims. Thirteen of them were white and shaking. But one showed no fear - Esus! He stepped forward.

"I am Esus, son of Argus!" he said in a loud voice. "I'm not afraid of you! I'm telling you now, Minus - your time is up. Your empire will be destroyed!"

Młoda kobieta siedziała obok Minusa. Była jego córką. Na imię miała Arin. Podobał jej się wygląd tego dzielnego wojownika. Gdyby tak młodzi mężczyźni na jej planecie byli tacy, jak on!

Minus nie był pod wrażeniem. – A kto niby ma tego dokonać? – powiedział. – Ty? Twój słaby i lękliwy ojciec? Twoja żałosna, mała planeta?

Zaśmiał się Esusowi w twarz.

- Jedno jednak muszę ci przyznać – masz charakter! Skoro jesteś taki chętny do walki, jako pierwszy pójdziesz do labiryntu!

A young woman was sitting next to Minus. This was his daughter, Arin. She liked the look of this brave young warrior. If only the young men on her planet were like him!

But Minus was not impressed. "And who is going to do that?" he said. "You? That weak and feeble father of yours? Your poor little planet?"

He laughed in Esus' face.

"But I'll say this for you - you have guts! As you are so keen on fighting, you will go into the maze first!"

3 Potajemna wizyta

Młodzi ludzie z Atten zostali zamknięci w pojedynczych celach. Była to część chytrego planu Minusa. Gdyby przebywali razem, mogliby wzajemnie się wspierać, dodając sobie otuchy. Mogliby nawet obmyślić plan ucieczki. Jeśli jednak będą zamknięci oddzielnie, jedyną rzeczą, o jakiej będą myśleć, będzie czekający ich okrutny los.

Esus wyjrzał przez okno swojej celi – ściemniało się. Wiedział, że nocą zostanie zabrany do labiryntu.

Czy był aż tak głupi? Był pewien, że zginie w labiryncie. Jak miałoby to pomóc jego planecie?

W tym momencie otworzyły się drzwi jego celi. Spodziewał się ujrzeć jednego ze strażników, lecz była to młoda kobieta – Arin!

Esus miał już zawołać, gdy Arin przyłożyła palec do ust.

- Cicho! – wyszeptała. – Strażnicy nas usłyszą!

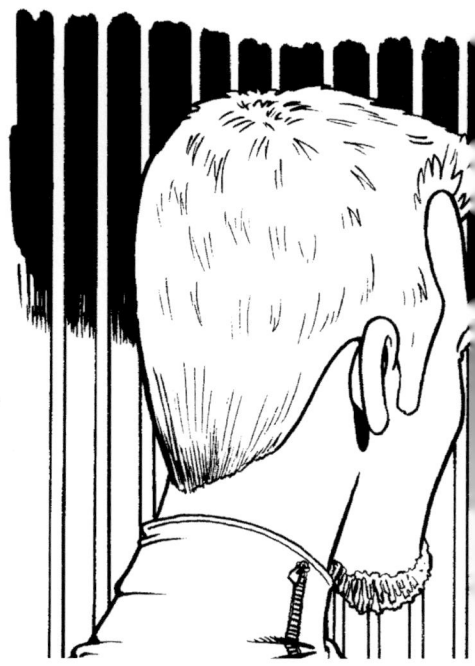

3 A secret visit

The young people from Atten were locked into prison cells. They each had a cell of their own. This was part of Minus' evil plan. If they were all together, they could help each other to be brave. They could even make a plan to escape. But if they were alone, they would think only of the terrible fate waiting for them.

Esus looked out of the window of his cell. It was getting dark. He knew that he would be taken to the maze at night.

Had he been stupid? He was sure to die in the maze. How would that help his planet?

Just then, the door of his cell opened. He expected to see one of the guards, but it was a young woman - Arin!

Esus was about to call out, but Arin put her finger over her lips.

"Quiet!" she whispered. "The guards will hear us!"

Położyła coś na małym stoliku pośrodku celi.

- To urządzenie do lokalizacji – powiedziała. – To jedyny sposób na znalezienie wyjścia z labiryntu. Ukradłam to mojemu ojcu.

- Ale dlaczego to dla mnie robisz?

Jej oczy rozbłysły. – Ponieważ nienawidzę mojego ojca i wszystkiego, co robi! Jest jednak cena, jaką musisz zapłacić.

- Co to takiego?

- Kiedy uciekniesz z planety, zabierz mnie ze sobą do Atten!

Esus był zdziwiony. Co pomyśleliby ludzie z Atten, gdyby powrócił z córką Minusa? Wiedział, że byliby rozgniewani.

She put something down on the small table in the middle of the cell.

"It's a location device," she said. "It's the only way to find your way out of the maze. I stole it from my father."

"But why are doing this for me?"

Her eyes flashed. "Because I hate my father and all he does! But there is a price you have to pay."

"What's that?"

"When you escape from the planet, take me with you back to Atten!"

Esus was amazed. What would the people on his own planet say when he returned with Minus' daughter? He knew they would be angry.

Zdecydował jednak, że przyjmie propozycję i zacznie realizować plan.

- W porządku – powiedział.

Arin wymknęła się tak cicho, jak przyszła. Na zewnątrz ściemniało się coraz bardziej. W porcie włączono światła. Esus usłyszał ryk silnika statku wojennego, który właśnie startował.

Spojrzał na urządzenie do lokalizacji i włączył je. Ekran rozświetlił się, lecz był pusty. Czy rzeczywiście okaże się to pomocne, czy był to tylko chwyt?

Usłyszał zbliżające się kroki. Ucichły. Straże! Nadszedł czas!

He decided he had better go along with the plan for now.

"All right," he said.

Arin slipped away as quietly as she had come. Outside, it got darker still. The lights of the spaceport came on. Esus heard the roar of a space warship taking off.

He looked at the location device. He switched it on. It glowed, but the screen was blank. Would this really help him, or was it just a trick?

He heard marching feet outside the cell. They stopped. The guards! The time had come!

4 Do labiryntu

Do labiryntu prowadziły wielkie stalowe drzwi. Strażnik pociągnął za dźwignię i pomału otworzyły się.

Esus został wrzucony i upadł twardo na kamienną podłogę.

Poobijany i jęczący usłyszał, jak wielkie drzwi zatrzaskują się za nim. Zastanawiał się, czy potwór Asteron również to usłyszał. Jeśli tak, zacząłby pewnie myśleć, że zbliża się pora obiadu!

Esus wyciągnął z kieszeni urządzenie do lokalizacji. Tym razem ekran pokazywał mapę labiryntu!

4 Into the maze

The way into the maze was a huge steel door. A guard pulled a lever and it swung slowly open.

Esus was picked up and thrown through the door. He fell hard onto a stone floor.

Bruised and groaning, Esus heard the great door slam shut behind him. He wondered if the monster, Asteron, had heard it. If he had, he would be thinking that it would soon be - dinner time!

Esus pulled the location device out of his pocket. This time, the screen showed a map of the maze!

Urządzenie miało również przycisk, który otwierał drzwi. Esus jednak nie użył go, gdyż wrzucono by go z powrotem, a do tego odkryto by, że ma tajemne urządzenie. Miał poza tym zadanie do wykonania.

Przyjrzał się mapie – jama Asterona znajdowała się w samym centrum. Wyruszył, by go odnaleźć.

Podróż była trudna, mimo iż posiadał mapę. Labirynt bowiem nie był tylko siecią korytarzy pod ziemią. Był również labiryntem czasu! W niektórych tunelach znajdowały się wrota czasu. Kiedy się przez nie przechodziło, było się przenoszonym godzinę w przód bądź w tył. Wprowadzało go to w ogromne pomieszanie!

Raz nawet Esus zobaczył samego siebie w pewnej odległości! Nie wiedział, czy widzi siebie w przyszłości, czy też w przeszłości!

Wkrótce zauważył, że wrota czasu są zaznaczone na mapie i był w stanie je omijać.

The device also had a button to open the door. But Esus didn't use this. He would only be thrown back in again, and they would know he had the secret device. Anyway, he had a job to do.

He looked closely at the map. Asteron's lair was at the centre. He set off to find him.

Even with the map, the journey was difficult. The maze wasn't just tunnels under the ground. It was a time maze too! Some tunnels had invisible time gates in them. When you stepped through, you went back, or forward, in time for an hour. This was very confusing!

Once, Esus saw himself in the distance! He didn't know if it was himself in the future or the past!

Soon he saw that the time gates were shown on the map. He was able to go round them.

Raz czy dwa natknął się na wysuszone szczątki ciał. Kiedy tylko Asteron pożywił się krwią swoich ofiar, pozostawiał je tam, gdzie je znalazł.

W miarę jak Esus zbliżał się do centrum labiryntu, zaczął wyczuwać odrażający zapach. Asteron!

Szedł dalej. Nie miał pomysłu, jak pokonać potwora. Ludzie mówili, że jest wielki i mocny, Esus zaś nie miał broni.

Wtedy go ujrzał!

Miał ciało człowieka, ale jego głowa była jak z koszmaru. Z opuchniętej, szarej, pokrytej guzkami twarzy wystawała para małych, czerwonych oczu.

Ostre zęby wystawały z jego ust i ciekł z nich śluz.

Nie był on jednak wielki. Wręcz przeciwnie – był mały i patrzył na Esusa z przerażeniem!

Once or twice he came upon the dried up remains of bodies. Once Asteron had drunk the blood of his victims, he left them where he had found them.

As Esus got nearer the centre of the maze, he began to notice a dreadful smell. Asteron!

He went on. He had no idea how to defeat the creature. People said it was huge and powerful, and Esus had no weapons.

Then he saw it!

Its body was like a man, but its head was out of a nightmare. Small red eyes stared out of a swollen, lumpy grey face.

Sharp teeth stuck out of its mouth and dripped slime.

But it wasn't huge. It was small - and it looked at Esus in terror!

5 Uciekajmy!

Esus odkrył tajemnicę potwora. Nie był ani wielki, ani też pełen mocy! To było kłamstwo. Potwór czekał, aż jego ofiary będą słabe lub martwe po wielodniowej wędrówce w labiryncie i wtedy je atakował.

Ale Esus nie zgubił się!

Chwycił Asterona za chudą szyję i ścisnął. Potwór wysilał się, lecz nie mógł się uwolnić. Esus ścisnął mocniej, aż usłyszał chrzęst.

Szyja potwora została złamana.

Teraz uciekać!

Sprawdził na mapie najkrótszą drogę powrotną do wejścia. Wkrótce tam był. Wielkie drzwi otworzyły się i Esus wyskoczył na zewnątrz.

Tylko jeden strażnik ich pilnował. Sięgnął po broń, lecz Esus był szybszy i silniejszy.

Znokautował go i wziął jego broń. Wkrótce był z powrotem w więzieniu. Z pewnością będzie tam więcej żołnierzy, ale nie będą się go spodziewać!

Przygotował broń i otworzył drzwi kopnięciem. Strażnicy spojrzeli na niego. Sięgnęli po broń, lecz było za późno.

Esus wziął klucze i zbiegł korytarzem w dół, otwierając drzwi cel.

- Z powrotem do portu! – krzyknął. – Szybko!

5 Escape!

Esus had discovered the secret of the monster! It was not huge and powerful at all. That was a lie. It waited until its victims had been lost in the maze for days and were weak, or dead. Then it attacked them.

But Esus had not got lost!

He grabbed Asteron round its scrawny neck and squeezed. The monster struggled but could not break away. Esus squeezed until he heard a snap.

The monster's neck was broken.

Now to escape!

He checked the map for the shortest way back to the entrance. He was soon there. The great door swung open and Esus leapt out.

Just one soldier was guarding the door. He reached for his weapon, but Esus was quicker and stronger.

Esus knocked out the guard and grabbed his weapon. Soon he was back at the prison. There would be more soldiers here - but they would not be expecting him!

He set the weapon to stun and kicked open the door. The guards looked up. Too late, they reached for their weapons.

Esus grabbed the keys and ran down the line of cells, opening doors.

"Back to the space port!" he yelled. "Quickly!"

Atteńczycy wybiegli w mrok. Wkrótce byli przy ogrodzeniu portu kosmicznego. Esus wypalił dziurę swoją bronią i przeszli przez nią. Włączył się jednak alarm!

Zaświeciły się jasne światła. Szczęśliwie, Atteński statek był nieopodal. Wszyscy śpieszyli się, by dostać się na pokład. Strumienie z broni laserowej odbijały się od kadłuba statku.

- Szybko! – wrzasnął Esus. – Startuj. Teraz!

Po paru sekundach statek kosmiczny odlatywał z rykiem w przestrzeń. Wszyscy cieszyli się. Esus zwyciężył!

Krzyki ucichły i Esus usłyszał głos. Głos, który znał.

- Nie myślałeś chyba, że polecisz beze mnie?

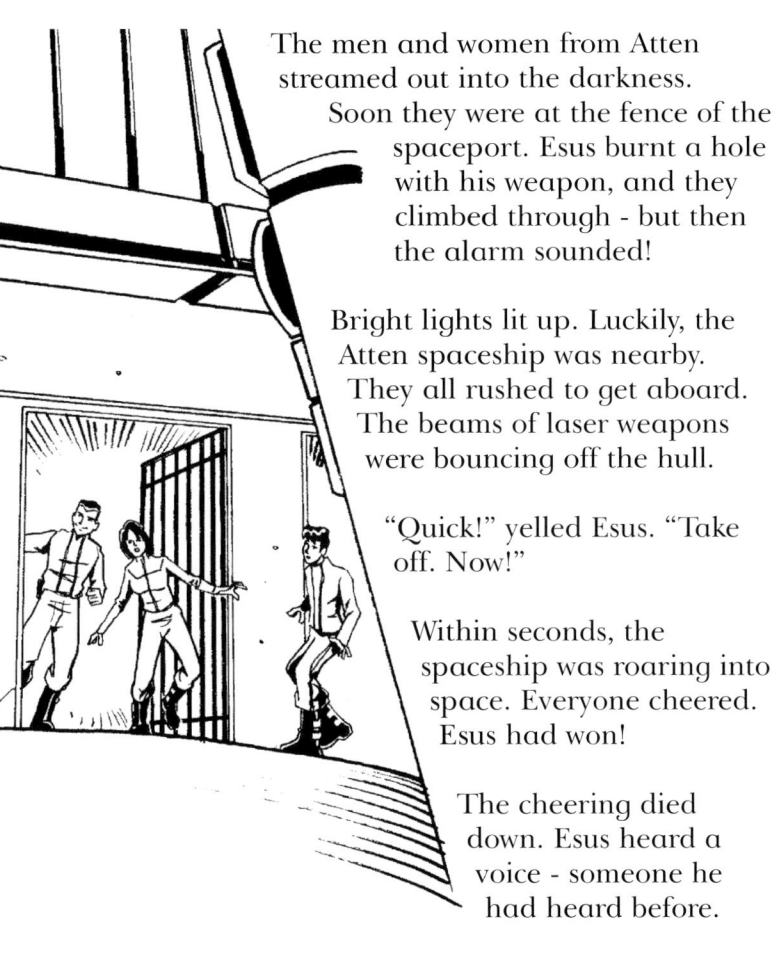

The men and women from Atten streamed out into the darkness.

Soon they were at the fence of the spaceport. Esus burnt a hole with his weapon, and they climbed through - but then the alarm sounded!

Bright lights lit up. Luckily, the Atten spaceship was nearby. They all rushed to get aboard. The beams of laser weapons were bouncing off the hull.

"Quick!" yelled Esus. "Take off. Now!"

Within seconds, the spaceship was roaring into space. Everyone cheered. Esus had won!

The cheering died down. Esus heard a voice - someone he had heard before.

"You didn't think you were going to go without me, did you?"

6 Powrót do domu

Arin!

- Na wypadek, gdybyś o mnie zapomniał, schowałam się na statku! – powiedziała. – Wciąż jestem dla ciebie użyteczna. Spójrz na ekran!

Esus spojrzał na ekran i z przerażenia wstrzymał oddech. Ścigała ich flota Minusa. Jeden wystrzał ich broni zniszczyłby jego statek!

- Mój ojciec wie, że tu jestem! – powiedziała Arin. – Nie zniszczy twojego statku. Tak długo, jak jestem z tobą, jesteś bezpieczny!

Wkrótce statek podróżował z maksymalną prędkością. Nikt nie mógł ich teraz złapać. Byli bezpieczni!

W połowie drogi mechanik odkrył usterkę w silnikach.

6 The journey home

Arin!

"Just in case you forgot about me, I hid on the ship!" she said. "And I'm still useful to you. Look in the view screen!"

Esus looked at the screen and gasped in horror. Minus' battle fleet were chasing them. One blast of their weapons would destroy his ship!

"My father knows I'm here!" said Arin. "He won't destroy your ship while I'm on it. If I'm with you, you're safe!"

Soon the ship was travelling at full speed. No-one could catch them now. They were safe!

Half way through the journey, the engineer found a fault in the space engines.

- Nic poważnego - powiedział. – Będziemy jednak musieli wylądować i to naprawić.

Statek wylądował na pobliskiej planecie. Było to piękne miejsce, choć niezamieszkane.

Arin wyszła, by się rozejrzeć i Esus odleciał bez niej. To był nieuczciwy chwyt, lecz wiedział, że mieszkańcy z Atten nie chcieliby Arin na swojej planecie.

- Zostawiłem radio – powiedział Esus. – Będzie mogła nadać wiadomość do swojego ojca.

Esus zapomniał jednak o czymś. Powinien był wysłać wiadomość do swojego ojca!

Wreszcie znaleźli się na orbicie Atten. Statek wylądował i wysiedli. Oczekiwali, że wszyscy będą witać ich radośnie.

Nie było jednak owacji. Wszyscy wokół stali ze smutnymi twarzami.

- O co chodzi? – zapytał Esus. – Nie rozumiecie? Pobiłem Asterona!

- Zapomniałeś jednak skontaktować się ze swoim ojcem – powiedzieli mu. – Kiedy statek wylądował, a ojciec nie otrzymał wiadomości, pomyślał, że zginąłeś. Szok go zabił!

Esus poczuł się zawstydzony. Jakże mógł zapomnieć? W tym momencie zdał sobie sprawę z tego, co oznaczała śmierć ojca. Teraz on był przywódcą planety.

"It's not serious," he said. "But we'll have to land on a planet to fix it."

The ship landed on a nearby planet. It was a beautiful place, but no-one lived there.

Arin went out to explore - and Esus took off without her! It was a rotten trick - but he knew the people of Atten would not want her on their planet.

"I've left a space radio," said Esus. "She will be able to send a message to her father."

But Esus had forgotten something. He should have sent a message to his father!

At last they were in orbit over Atten. The ship landed, and the young men and women walked out. They expected everyone to cheer them.

But there were no cheers. Everyone stood around with sad faces.

"What's the matter?" asked Esus. "Don't you understand? I have beaten Asteron!"

"But you forgot to radio your father," they told him. "When the ship landed without a message, he thought you were dead. The shock has killed him!"

Esus was ashamed. How could he have forgotten? Then he realised what his father's death meant. He was now the leader of the planet.

A tam, daleko w kosmosie, znajdowało się imperium, które należało pokonać.

And, far away in space, there was an empire to defeat.